O-KANADAMO

BOCCHI THE ROCK! ANTHOLOGY COMIC BAND

HINODE ARUKIMACHI

ILLUSTRATION KEMURI NAKAMORI

봇치・더・록!

앤솔러지 코믹

VOLUME 2

ANTHOLOGY

BOCCHI THE ROCK!
ANTHOLOGY COMIC

SET LIST

MEBACHI

BOCCHI THE ROCK! ANTHOLOGY COMIC BAND

봐!
봇치가 역대 최고로 기분이 좋아 보여.
방긋
여기가 커버 안쪽이라
사람들 눈에 띌 일이 없어서 안심한 거야.
아~
음침한 곳이라 마음이 안정돼요.
으헤헤…
?
그런데 커버 안쪽이 굳이 필요한가?
중요한 건 본문이잖아?
그, 그렇죠. 저 같은 건 필요 없죠….
쿠우웅
버
필요해!
커버 안쪽도, 봇치도!
뭐… 뭔가 죄송합니다.
BTR! ANTHOLOGY VOL.2

TSUMIKITSUKI

심각한
반짝반짝 농도 부족…!

#교자_파뤼 #가_세계를_구한다

FUJINO FUJI

요즘 들어! 곡 제작이니 연습이니 때문에…
조금도 못 놀고 있는 것 같지 않나요?!
여고생의 시간이! 귀중한 청춘이!
내 이소스타 갱신 빈도가 ~~~~!
또 이쿠요의 일상적인 발작인가….
음—….
그럼 뭔가 하면서 놀까?

만년 빈곤   밴드맨

마찬가지.

그런데 내가 지금 지금 사정이 안 좋아서….

으….

하긴 저도 그렇지만요….

앗, 저도예요….

저요, 저요! 저 타코야키 파티하고 싶어요! 타코야키 파티!!

밥…!

그럼 다 같이 뭔가 만들어 먹을래?

아.

재미도 있고 밥값도 아끼고

좋은데? 누구 타코야키팬 있는 사람?

타… 타코야키 파티!

전 없지만 반 아이에게 말하면 빌릴 수 있을지도…?

무...
무서워…!

이소스타에
사진을
동시에 올려
간접적으로
자랑하기도
하는….

야~
초콜릿 넣은 녀석
누구야ㅋ

타코야키
파티란…
인싸 여자애들이
모여서
하는 것…!

묘하게
흥분해서
이상한
재료를
넣기도 하고

이예~~ㅋ

어라?
봇치가 문어를
못 먹었던가?

해산물
알레르기?

저기…
(인싸의 아우라)
알레르기가….

앗, 저기…
타코야키
파티는
조금….

느낌이
조금도 살지
않는데요….

네에에~
교자요…?

타코야키랑
그렇게 다르지
않잖아!

그럼
교자 파티를
하자!

교자는 좋아하지 마안….
우츠노미야에서 많이 먹었기도 하고…
자, 봐! 다양한 생김새로 만들 수 있대!
알겠어요….
휴
앗. 교자라면 그래도…!
인싸도가 살짝 나을 것 같은 기분
료도 괜찮지?
먹을 수 있다면 뭐든!!
그렇게 말할 줄 알았어….
그리하여
두둥

앗, 아뇨. 오늘은 우연히 집에 아무도 없는 날이라…

고마워, 봇치.

너희 집 부엌을 쓰게 해줘서…

전… 기타 연습도 있고…

봇치는 안 가고?

부모님이랑 후타리는?

수족관에 갔어요….

이지치 선배, 역시 대단하세요! 빨라~!

역시 대단해~.

수족관도 내겐 인싸도가 너무 높다고 할까….

료도 도와!

…응. 재료는 대충 다 다졌지?

앗. 마늘은 어떻게 할래? 뺄까?
냄새
전 냄새 대책으로 사과주스랑 재스민 티를 가져왔으니까 괜찮아요!
넣는 쪽이 맛있기도 하고요.
내일도 휴일이니까 상관없지 않을까?
밴드 연습밖에 없잖아.
이 셋을 제외하면 만날 사람은 가족밖에 없으니….
그럼— 이걸 반죽하자!
키타, 잘 부탁해!
네—!
키타——양
조물 조물 조물 조물 조물 조물
이쿠요가 반죽한 교자….
파—칭
잘 팔릴 것 같아!
키타 교자
제가 반죽했어요
료, 뭔가 이상한 생각 하고 있지 않아?

그럼 다들 기대했던…
교자 빚기를 하자~!
배고파…
일단은 일반적인 방법부터~.
굉장해…. 예뻐….
어렸을 때부터 엄마랑 같이 만들곤 했거든.
에헤
꼭 파는 음식 같아요~!
키타도 괜찮은데?
하지만 뭔가 주름이 생겨서…
보기보다 어렵네요.
피와 속의 균형이…
료 선배는…
와! 선배도 예…
쁘?

뭔가 갈수록 정성이 사라지고 있지 않나요?
귀찮아서….
먹으면 다 똑같은데….
아이참—. 생김새가 얼마나 중요한데요—.
봇치는?
앗, 저기
수북
뭔가 이상한 형태가….
어떻게 해야 그렇게 되는데?!
속의 양이 많았는지 피가 부족해서… 추가했더니 다음엔 속이….
그걸 반복했더니 ….
괴기스러워.
…죽…여…줘…
이거, 안까지 열기가 닿을까…?

그나저나
교자 빚는 법이 참 다양하네요.
재밌어요~!
보세요! 장미!
대단해….
봇치, 잘 안돼?
앗, 네…. 좀처럼….
이 방법으로 빚으면 간단하고 귀여워!
있지, 이렇게 해서…
반으로 접고 돌돌 감아 붙이면 끝…
봐! 다 됐다!
정말로 간단해…!
그렇지?
게다가 이거 생긴 게 살짝 결속 밴드 같지 않아?
동그랗게 원을 그리는 모습!

다 같이
교자
만들기….

즈,
즐거운 것
같아….

네….
하지만
이걸로는
아직
부족해요.

그렇지?
교자도 꽤
느낌 있지?

많이
만들었네요.

부스럭

부스럭

이거예요.

비밀병기
…?

괜찮아요.
제가 오늘
비밀병기를
가져왔거든요.

에엑,
진짜ㅡ?

짜안! 무지갯빛 교자!!
어때요?! 엄청나게 느낌이 살죠?!
RAINBOW!
네온사인 교자….
머, 멋있어…!
통판으로 피를 팔더라고요ㅡ!
오늘 아침에 도착했어요♡
하늘색이랑 보라색 대단해….
꼭 미국 과자 같네….
번쩍 ——
그리고 드디어…
치익~

잘 먹겠습니다─!
따좌
이지치 선배, 이거 불 조절이 예술이에요!
맛있어!!
앗뜨…
!
다행이야~!
맛있어….

행복…
행복…
정말 맛있네~!
난 김치 들어간 게 좋아~!
차조기 교자도 맛있어….
우츠노미야에 있는 맛집에 지지 않아요.
정말이네….
직접 만들어 먹으니까 더 그래.
네온사인 교자, …맛은 엄청 평범해.
색만 넣은 거니까요.
사진발…. 허망해….
아….
왜 그래, 봇치?
ELCOME
이거…

색이랑 생긴 게… 조금
저희 같다… 싶어서….
정말이네.
아하하. 서로 붙어 버렸어.
우리도 이만큼 결속하고 싶네요!
좋아. 저녁에는 밴드 연습 힘내자!
와──!
와~.
앗, 네!
잘 먹었습니다!

결속 교자 파티를 했어요♡
#교자_파뤼
#가_세계를_구한다
#밴드 컬러
#식초 후추 영원히 먹을 수 있어
#이 뒤에 연습
역시 다 못 먹었네요.
봇치네 집에 두고 가기도 너무 많고…
남은 건 스타리에 가져가자!
언니, 이거! 선물이야!
응? 뭔데?
교자!
교자아?
오! 마침 잘됐네.

괜찮아요. 많이 있으니까 드세요!
안주가 있으면 십던 참이었어~!
잠깐, 너… 어느 틈에?
일본주
그 뒤, 스타리에 술과 마늘 냄새가 진동해
손님에게서 클레임이 들어왔다.
너 말이지…, 여긴 술집이 아니라고!!
술이 잘 넘어가~
응응! 이거 맛있다!
귀가 후
으아! 언니, 냄새나!!
쿠-궁
■END

HARU HUTABA presents...
앗! 키타, 그 화장품 가을 신상이야?
맞아요! 드디어 샀거든요~.
와~. 그거 '그날의 저녁노을'이랑 고민하던 건데!
그쪽도 괜찮죠—
발색 괜찮다. 어떤 색으로 샀어?
아, 이건 '오후 2시 카페테라스에서'예요.
무슨 소리…?!

하지만 저 같은 애는 화장해도 이상하기만 할 거라고 생각해요….

전부터 생각했는데, 히토리는 화장하면 얼굴이 확 살걸? 괜찮으면 내가 화장해줘도 될까?

엑!

할 마음이 있는 거면 나도 끼고 싶어

전혀 그렇지 않아! 저기, 일단 웜톤인지 쿨톤인지 만이라도….

어느 쪽이야.

응. 확실히 봇치는 얼굴이 단정하고 흐트러졌지.

앗.

봇치는 이런 말 못 알아 들으려나 …?

얘들아, 멋대로 의욕을 불태우고 있는데 봇치는 그런 거 안 좋아할 것 같으니까 강제로는…

의외로 잘 알아 !!!!

여름 쿨톤에 웨이브 체형 입니다.

그렇게까지는 말 안 했어.

에이. 완벽하고 궁극적 이라니….

히토리가 그런 걸 잘 알다니 의외야!
맞아 맞아
나도 진단받아 보고 싶었는데! 어느 살롱에서 받았는지 가르쳐줘!
그, 그게…
인터넷에서 본 손가락만 움직여서 대충 알아보는 이미지로 판단했어요….
손가락을 움직여 보세요!
설마 했던 자가 진단 …!!!
짠—! 이거 보세요!
우선 한국 스타일의 화장을 해봤어요!
의상은 어디서 났지???
피부가 하얘서 빨간 립스틱이 잘 어울리네.
어?! 키타, 입이 왜 그래?!

이걸 앱으로 보정하면~.
오오.
굉장해—! 다리도 길고 눈이 커.
예쁘다~!
…….
반짝
반짝
어라? 히토리, 뭐 하고 있어?
묵
묵
이건 심하다!
요즘 유행에 따라 지뢰계 화장도 괜찮은 것 같아….
분명 예쁠 거야!
머리색이랑 착붙일 것 같죠!
퐁
응.
유성 마커
그럼….
선배! 사람 얼굴에 문구를 쓰지 말아 주세요!

고, 곤란해….
처음에는 평범하게 봇치를 귀엽게 꾸며보자~는 의도였는데, 살짝 누가 더 재밌게 꾸미나 같은 흐름이 되어버렸어!
꿍ー 꿍ー…
어떻게 하지? 뭔가 재밌는 거~!
내 얼굴이 손 쓸 도리가 없을 정도라 곤란하게 만든 걸까…?
죄죄죄 죄송합니다….
덥석
이렇게 된 이상 마지막 수단이다!
슈파파팟
미안해, 봇치…!
엇, 엇…!
후우
완성…!
지미헨 특수 메이크
서, 설마 이런 기술을 가지고 있었을 줄이야!
오히려 잘도 이런 기술을 가지고 있었네….
짜잔

지금까지는 그게 아니었어…?!

장난은 그만하고… 진짜로 귀엽게 꾸며보지 않을래요?!

니지카 선배! 아무리 그래도 이건 너무 갔어요.

으, 미안….

우선 기초를 바르고

히토리도 곤란해 하고….

푸른 톤의 핑크 립을 바른 다음~….

혈색을 줘서

무슨 소리인지 거의 알아듣지 못함….

컨실러로 다크 서클을 지우고 파우더로 두드려 주면 화장이 잘 안 뜨니까

얼굴을 전부 덮고 있으니 편안해….

파아아야
짠!
완성이에요~!
후훗
봇치,
예쁘다~!
제가
한 거지만
완성도가
높네요!
료?
…좋은데?
빠——얀
돈의
냄새가
나.
무슨
소리
야!

고, 고마워요…!

얼마 전에 받은 샘플이 있으니까 히토리 줄게.

봇치가 순정 만화의 주인공 같은 대사를 하고 있어….

이게… 나…???

귀가 후

조, 좋아— 바로…. 이제 사람들 앞에 나가도 무섭지 않아…!

이 립스틱 한번 사볼까…? 얼마 정도 하려나…?

내게… 이런 잠재력이 있었다니…

언니, 귀신 같아~.

깜빡했어… 나… 그림 실력이 괴멸적이었지….

예쁜 여자가 되려면 재력이 필요하단 말인가…!!!

이럴 수가…!!

■END

꺄악—!!
료 선배가
기자재로 고문당하고 있잖아?!
사… 살려줘, 이쿠요 ….
Oh…
악몽 꾸는 베이스
presented by URUSHINO
도와주면 안 돼, 키타—. 얘는 지금 사정이 있어서 반성 중인 몸이거든~.
꼬오오오
괜찮아. 이거 료가 산 폭신폭신한 흡음재야.
그럴 수가! 선배의 아름다운 다리가!
꾸욱…
끄아아아아아아
조심해! 료가 낳은 슬픈 피해자가 있으니까….
어?!
※기자재는 올바르게 사용합시다.

돈을 너무 많이 빌려줘서 빈곤해진 봇치가
료를 흉내 내 길가에 돋은 수상한 버섯을 먹고 뭔가 행복 모드에 들어가 버려서….
Yeah…
Yes…
Heaven…
레게로 자신을 다시 돌아보면 올바르게 살아갈 수 있답니다.
그럴 수가. 난 레게 같은 거 하고 싶지 않아! 깜찍하지 않은걸!
빠~양
Love…
Peace…
쟈가장
쟈가쟝
그건 레게에 실례야. 레게란 1960년대에 자메이카에서 생겨난 음악으로, 1980년대에 유행한 2박과 4박의 컷팅과 3 악센트 진동하는 듯 한 베이스라인 는 독특한
죄인은 입 다물어.
으아 아악! 찌릿 찌릿해.
탁
탁

이쿠요 ~….
료가 봇치에게서 뜯어낸 5만 엔! 어떻게 갚을 생각이야?
료 선배…!
부들
추욱…
부들
핫…! 이건 함정이야! 넘어가지 마, 키타!
… 이쿠요.
기타 실력 좋아졌네.
에엣♥
에♥
두근 두근

봇치가 환각에 빠져버린 지금, 이쿠요라면 계획을 맡길 수 있어.
한 꺼풀 벗어 주시지 않으시렵니까? SNS 장관님.
결속 밴드
결속 밴드
@Kessoku_Band
팔로해 주세요♥
기꺼이♥
짜악 짜악
키타아앙...
Yeah...
221529918421RT
221529918421221529918421 좋아요
승낙하지 마.
버럭버럭
그렇게 수영복으로 돈을 벌고 싶으면 네가 입으면 되잖아!
수요가 없어.
윽

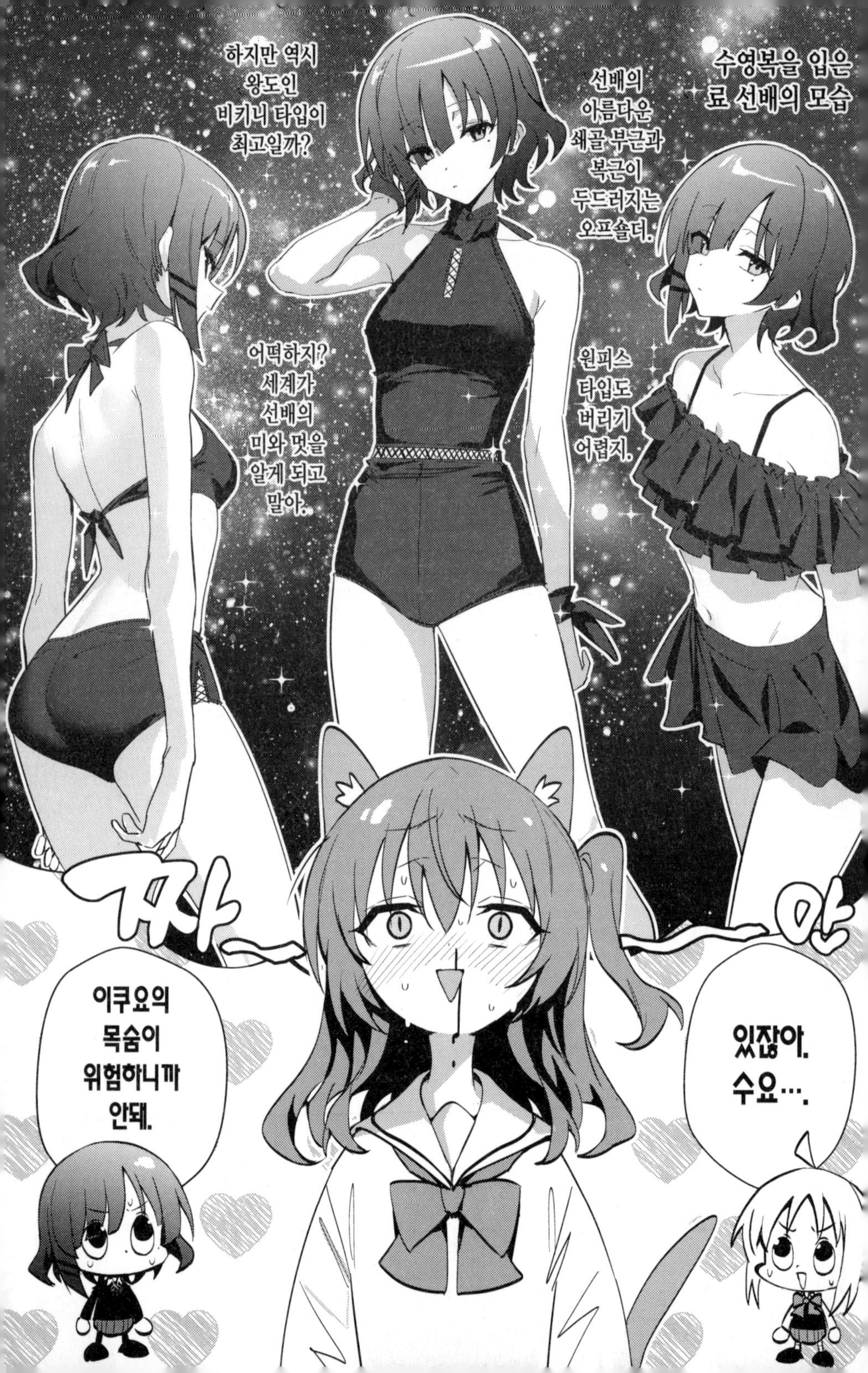
수영복을 입은 료 선배의 모습
선배의 아름다운 쇄골 부근과 복근이 두드러지는 오프숄더.
원피스 타입도 버리기 어렵지.
하지만 역시 왕도인 비키니 타입이 최고일까?
어떡하지? 세계가 선배의 미와 멋을 알게 되고 말아.
꺄~~앙
있잖아. 수요….
이쿠요의 목숨이 위험하니까 안돼.

그럼
'수영복을 입고
드럼을 연주해 봤다'
를 찍어볼까…?
찍어볼까…
라니~!
슥
으앗,
뭐야?!
믿을 수
있는 건
이제
니지카
뿐이야.
…내겐
수요가
있어.
뭐…?!
무슨 소리…!
그보다 난
키타처럼
예쁘지도
않고
료처럼
몸매가
좋은 것도
아니고
봇치처럼
저기…
크지
않고
가장
수요가
없어….
화끈…

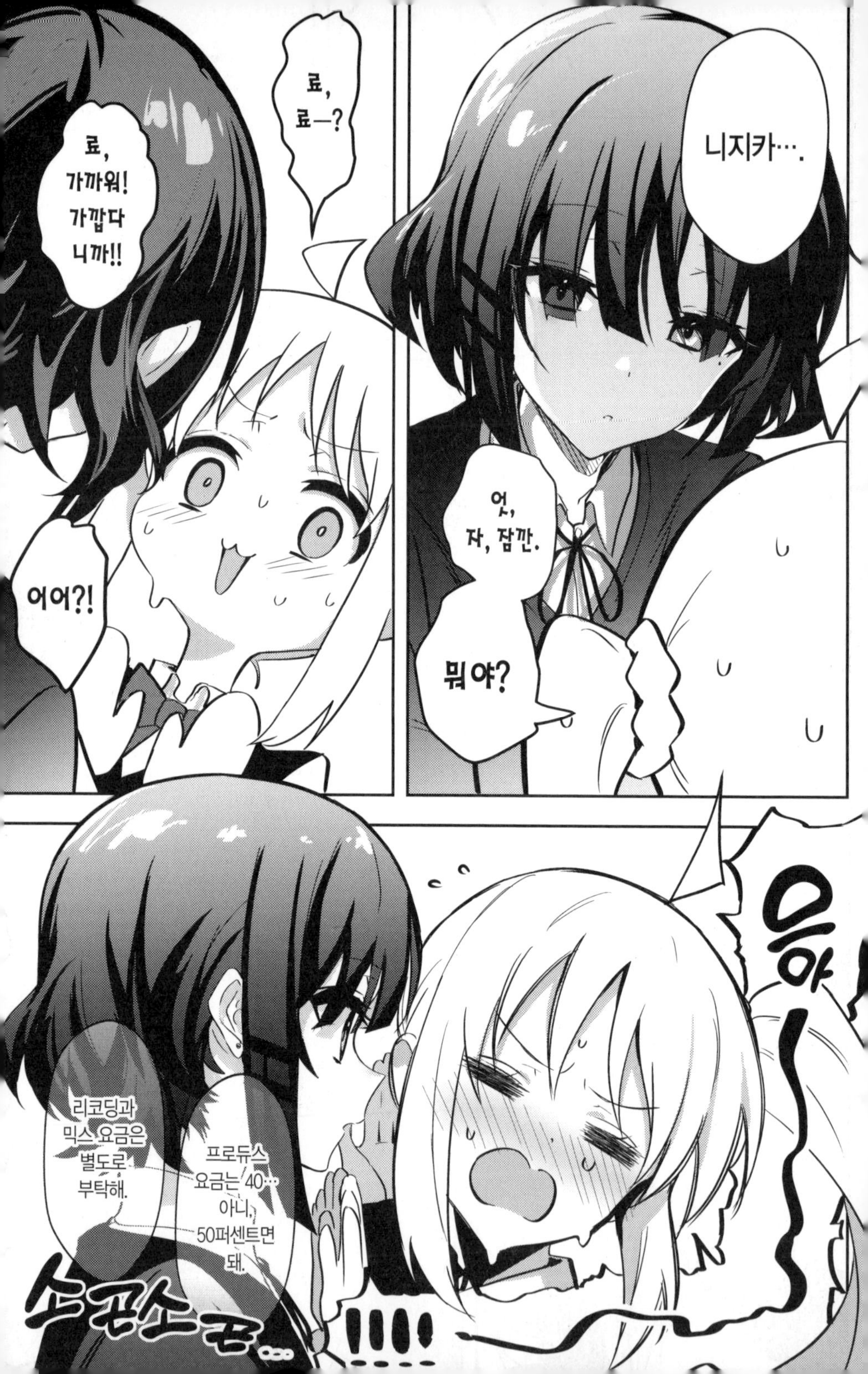
니지카….
료, 료—?
료, 가까워! 가깝다니까!!
어, 자, 잠깐.
뭐야?
어어?!
으야!
리코딩과 믹스 요금은 별도로 부탁해.
프로듀스 요금는 40… 아니, 50퍼센트면 돼.
소곤소곤…
!!!!

찌익
아얏.
료….
오오오오오
나, 이제 태클 거는 역할에 지쳐버렸어.

음ー. 이 몸, 힘이 용솟음 치는걸~?
그렇지. 더블베이스 드럼을 밟으며 결속 밴드로 프로그레시브 메탈을 할까?
레게도 섞어서.
전위적이고 좋은 것 같아.
난 볼일이 생각나서 이만.
덥석
덥석
덥석
자, 거기. 도망치지 말고~.
덥석
꾸엑!
번쩍
이쿠요… 봇치…! 살려줘…!
트위스트 밴드 비키니도 어울릴지도? 랜턴 슬리브 비키니도 분명 어울릴 거야. 꺄악ー! 아이찹. 선배, 이쪽을 봐주세요.
Love the life you live, Love the life you live,
하아
하아
아
아아 ….
어라? 료만 평범하네? 우리 라이브 의상으로 갈아입을까? 응?
우둑 우둑…
쟈가쟝
쟈쟝

그럼 들어주세요~.
결속 밴드의
〈레게와 메탈과 푸른 수영복〉.
쟈가장♪
쟈가장♪
내가 하고 싶었던 음악은
이런 게 아니야….

핫!
벌떡
아…. 일어나셨어요?
슬슬 라이브 시간이에요, 선배.
어라…? 료,
혹시 울어?
…하품이야.
봇치.
앗, 네.

빌렸던 5만 엔을 돌려줄게.
엇.
이렇게 많이 돌려주셔도 괜찮으세요…? 만세~?
너무 오래 체납했던 탓에 봇치에게 버그가 났잖아.
이쿠요… 내가 수영복을 산다면 이거야.
너무 고민 하는 건 좋지 않아.
엇.
멋져요! 분명 선배에게 어울릴 거예요♥
갑자기 수영복 이야기…?
슬렁…
니지카.
슬렁
잠깐 태클 좀 걸어줘.
뭐? 태클…?
톡…
시… 시방 뭐 하는 겨–?
으으…. 쭉 지금의 니지카로 있어 줘….
텅텅
휴
?
끝

렛츠 고 나이트풀
presented by
YUNON NAGAYAMA
STARRY
최근엔 친구들이 생기고 밴드 활동도 하면서
생활이 충실해졌지.
적진 염탐이라고 치고,
아는 밴드가 아마 내일…
그렇구나.
저희도 가 보고 싶어요♪
결정됐네.
으헷…
이대로 아싸 졸업?
하게 된다거나…
내겐 먼 이야기지만
으헤헤헷…
봇치, 듣고 있어?
봇치도 갈 거지?
네?
앗, 네.
정말?
다행이야~.
거절하지 않을까 했는데.
같이 가자, 나이트풀!
엇….

나이트풀?!
여기서 가깝대. 새로 생겼다더라.
전쟁의 시간이지….
관심이 있어도 혼자서 가기엔 꺼려지잖아?
한 번 가면 분위기도 알 수 있고.
엇, 저기….
그럼 내일 17시에 보기야!
지도는 나중에 보내줄게.
네… 네….
그날 밤…
아니, 아니, 아니. 못 해, 못 해, 못 해, 못 해, 못 해.
거절하지 못한 난 바보, 바보, 바보!!
삐로링♪
지도 보낼게✩

이소스타 걸들이 모이는 곳! 나이트풀 이면 그거지?

다들 그런 곳에 갈 생각이란 말이야?!

하지만 잠깐.

키타는 그렇다 쳐도 인도어파인 니지카와 료 선배까지….

어쩌면 의외로 괜찮을지도?

쓰레기가 섞이면 배수구로 배출돼 버릴 거야!

대화가 너무나도 다른 차원이라 묻혀 버렸는데

역시 안 가겠다고 하자….

은 재밌게 놀자.

지도야☆

무릎에 화살을 맞아서

그렇다면 ….

모두와 함께라면 어쩌면….

나도…. 지금까지 같이 노력해 왔잖아.

욕실에서 연습!!
드르륵
Festival
나이트풀의 환상적인 조명!
귀여운 튜브!
동생 거
근사한 음료수!
냉장고에 있었음
환타
셀카봉!
삼각대
셀럽 선글라스!
셀럽
완벽하게 재현해 나이트풀에 익숙해지는 거야!
좋아, 어둡게 하고
딸깍
조명을 켜면….
첨벙

미예~~~에
짠~☆
칙 앙얏~
뭔가 영…?
음~…
나이트풀이면 조금 더 울룰루한 분위기일 것 같아….
그렇지. 튜브 위로 올라가자!
착
영차…
풀

하아
하아
죽는 줄 알았네!
튜브 위에 앉는 거 의외로 어려워!
실전에서 실수하지 않아 다행이야!
하아
조금 더….
어쩌면 공기가 부족한 걸지도 몰라.
헥헥
못 해…!
흐느적…
내일은 공기 펌프를 가져가자!
좋아!!!

이걸로 수영장 내부 대책은 완벽하다고 치고
풀사이드도 엔조이 해야겠지.
풀사이드 하면…
아기 고양이들, 혹시 한가하니? 같이 놀지 않을래?
꺄악. 멋진 사람!
화면적인 대미지가 커서 밴드 멤버가 대역을 맡았습니다.
우웨에에에에엑
쿨럭
네 눈동자엔 꿈이 가득하구나.
파티 피플
파티 피플의 독이 너무 강해!
풀사이드, 위험해!
하지만 내일을 위해 버텨야 해.
우우우우
맞아. 음료수!
근사한 음료수를 깜빡했어!
이걸로 넘기는 거야!
함
푸쉬

푸하
하아~.
풀사이드에서 탄산이라니 최고ー.
이… 이거 어떠려나?
파티피플로 완전히 의태한 거 아닐까…?!
해냈어!
해냈어, 파티피플!
후후후
에헤헤헤헤헷!
언니가 욕실에서 웃고 있어ー
히토리, 너무 오래 씻는다ー
나이트풀 공략 완료!!

다음 날
봇치가 정말 올까?
늦네요….
야호~☆
앗, 봇치. 드디어 왔구…나…??
삐로리링
다
다들 기다렸지?
오늘 재밌게 놀자—.
알로하—
?!
자전거 공기 펌프…?

저기…
일단 말해두겠는데…
나이트풀은 라이브하우스 이름이야.
Night pool
지도도 보냈는데 몰랐을 리 없어요!
아아아아아
으으
그건 그렇지.
미안, 봇치.
짐이 많은데 괜찮겠어?
슈우우웅
반짝
봇치 ~~?!
히토리가 별이 됐어!
STARRY로 돌아갔네….

■END

본치 ⇄ 더 ⇄ 체인지!

presented by
YUKA ISHII

오늘도 아르바이트….

많이 익숙해졌지만 역시 일하고 싶지 않아….

점장님이 새로운 아르바이트 복장을 준비해 주셨어.

키타….

고토, 이거 봐!

싫어…!!!

꺄악──! 고토?!

어때?!

고토도 같이 입자!

엑….

…토.
고토,
괜찮…,
…잠깐.
어…
라?
어째서…
눈앞에
내가…?
반짝
반짝
이거
혹시…
앗.
울중
앗….
추욱
우리…
몸이 뒤바뀌었어——?!

어라? 너희 거기서 뭐 해―?
혹시 몸이 안 좋아?
아뇨~….
욱,
그게~.
저, 키타와 고토가
in 키타 이쿠요
in 고토 히토리
몸이 뒤바뀌어 버렸어요!
에엑?!
죄죄죄
죄송합니다….
저 때문에 키타가…
가가….
키타의 얼굴이 무너졌어….
정말로 봇치구나!
재밌어.
이건… 큰일이야~~!!!

아앗!
내 얼굴로 얼굴 붕괴 일으키지 마~.
죄송합니다….
자, 고토!
반짝
반짝
내 얼굴 최고의 샷은 여기서 카메라를 향해 이렇게~…
이 각도가 가장 잘 찍히니까 한번 해봐!
어라?
찰칵
찰칵
보세요!
이 각도! 이~런 포즈까지♡
사진이 정말 잘 찍혀요!
반짝

어떡하지~? 봇치가 멋있고 귀여워…♡
봇치의 잠든 미소녀 파워가 각성했어…?!
보보보, 봇치?!
하지만….
내, 내가 반짝반짝 아우라를 휘감고…
누, 눈부셔 지다니….
으
으
고토, 내 몸으로 녹아내리지 말아줘~~!!
부탁이야 부디 사람의 형태는 유지 해줘~
곤란하네….
멋있는 고토의 사진을 잔뜩 찍을 수는 있지만,
내 얼굴이 녹아내린 상태여선 이소스타에 올리지도 못하고….
키타, 고민 포인트가 그거야?!
엄청난 적응력 인걸.
그에 비해 봇치는….
힐끔
앗.
앗.

이쿠요, 즐거워 보여.

파자마 파티네요!

키타가 저희 집에 자러 왔다고 하기로….

원래대로 돌아가지 못했는데 어떻게 할 거야?

이럴 때니까 즐기지 않으면 손해죠!

언니, 뭐 이상한 게라도 먹었어?!

괜찮아?!

히토리!

엄마, 이 플레이팅 멋지다! 맛있을 것 같아~!

내 모습으로도 주변이 반짝이고 있어….

키타…

학교
좋은 아침—
고토가 교복을 제대로 입었어!
어라?!
평범하게 인사하는데?
고토가 이렇게 예뻤던가?
앗,
STARRY
오늘 아르바이트 복장은 이거야.
네.
점장님까지…?!
가족, 학교, 아르바이트.
내… 존재 의의….
앗,
앗,
아이덴티티 가가ㄱr…

수욱
기타도…
내 손가락이 아니라…
결속 밴드!
출연 예정이던 밴드에 갑자기 결원이 생겨서…
무대에 대신 올라가 줬으면 좋겠어.
엇!
두리번
그보다 보…. 키타는?
둘 다 기타니까 괜찮겠지?
야
하지만… 평소처럼 연주할 수 없어서….
고토 모습이어도 노래는 내가 할 수밖에 없겠지….

아,
아~~…?
어라?!
어째서인지 평소보다 목소리가 안 나와요….
앗,
앗,
그야 봇치는 평소에 목소리를 안 내니까…!!!
죄죄죄… 죄송합니다.
이렇게 된 이상 그때처럼 뭔가 충격을 줘서…!!
벽
잠깐, 봇치?!
그거 키타 몸이야!!!
이마에 상처가 나는 건
싫어~~~~~~!
엑.

어?
앗.
으….
앗.
흐아?!
죄죄죄,
죄송
합니다~.
어라?
돌아왔어
….
다행이야~.
둘 다
괜찮아?
앗.
네.
다음,
결속 밴드!
준비됐어?
네
에

이 느낌…
역시…
자기 몸이
가장
편안해
~~!!!

얼굴빛도 안 좋고…
그런데 어째서 일까…?
고토 히토리가 너무 움직이지 않은 탓에 생긴 극심한 어깨결림
원래대로 돌아온 뒤로 전신이 아파…!
으으…
키타 이쿠요의 액티브한 움직임에 따라가지 못한 몸
역시 둘 다 평소 모습으로 있는 쪽이 안정돼.
하지만 이쿠요 in 봇치는 돈의 예감이…. 꼭 다시 보고 싶어.
?!
히이이익 ~~.
앗, 앗,
더는 사절…
이에요!

■END

모키타자와 남쪽 출구 상점
많이 먹기 챌린지
Presented by HIROKI TODA

으이그! 료, 시끄러워!
밖에까지 들리잖아.
하지만…
하지만 이라니!
네 잘못이야.
얼마 전에 발굴했다면서 이펙터를 또 사질 않나!
오오오오오오오
이번 만큼은
절—대로 안 도와줘!

봇치·더·록!
앤솔러지 코믹
결속밴드
NOT FOR SALE

어?
우뚝…
잠깐, 내 말 듣고 있어?
이거다….
이게 뭐야? 버킷 볶음밥?
도전
버킷 볶음밥
1시간 이내에 전부 먹으면 무료
※ 다 못 먹으면 ¥2,000
한 시간 이내에 다 먹으면 무료….
아무리 배가 고프더라도 이건 불가능하지.
못해 못해
아니. 지금의 나라면 가능해.
눈이 무섭거든?

딸랑딸랑
두-웅
※닭튀김
토핑 추가
정말로
주문했어
….
잘 먹겠
습니다.
덥석…
커…

흐
맛있어…. 쌀알 하나하나의 맛이 느껴지면서
몸에 스며들고 있어.
글썽
글썽
글썽
꼭 쌀알 같은 눈물을 흘리고 있잖아?
…그렇게나 배가 고팠구나.
…조금 더 다정하게 대해 줄 걸 그랬나?

그건 구토를 유도할 때의 동작…

니지카아~.
촉촉…
니지카~
부탁이야.
도와줘….
이만한
양이면
나도 다
못 먹어!
으…,
……~~~읏
그래서
불가능하다고
했는데ー!!
으이그
~~~~~!!
~~~~~

STARRY
CLOSED
안녕하세요 ~.
아르바이트비 에서 2000엔 제할게….
닭튀김 가격도
죄송합니… …우읍.
선배, 괜찮으세요…?

■END

헤어
체인지?

봇치 헤어 이즈 배드?!

전에
세트로 가발을
썼었잖아요?
아~.
버섯 머리?
다른 헤어
스타일로도
그렇게 해 보고
싶어서요~.
인싸의
발상
이야….

네♡

presented by TATUNOKOSSO

하지만 괜찮은 생각 같아! 형태부터 갖추는 게 결속 밴드 니까!

그렇지.

네!

엑.

분명 결속력도 올라갈걸요?

사진 찍고싶어~ 사진 찍고싶어~ 사진 찍고싶어~

정말로?

꼬데 키타~ ~앙

우선 간단한 것부터….

롤빵 머리부터 가 볼까요?

예상할 수 있는 최대의 실패?!

어버버.

푹석 푹석

왕자님.

공주님?

구역을 나눠서 말면 좋아.
구, 구역?
응! 일단 옆머리를 집어서~…
?!
탁
깜짝
어? 거울?! 오랜만에 제대로 봤어!
나, 나?! 내가 비치고 있는 거야?! 뭐뭐뭐야? 이 어두운 얼굴은?
이런 얼굴을 사람들에게 보여주고 있었다고?!
함아 함아
덜덜
그아아아아악ㅡ…!
슈욱
고토?!
저런 방법으로 물리치는 요괴가 있지.
제령?

미안….
가발을 쓰는 게 나았을까?
아싸의 감성에 가깝게 바꾸는 건 어때?
아싸의 감성?
그렇지! 웨트 헤어 같은 건 어때?
와아! 그거 좋은데요?
웨, 웩?
웨트.
이런 식으로 젖은 듯한 질감을 주는 스타일이야.
멈칫~
섹시하지?
화, 확실히. 자주 본 것 같아.
좋아.
콸 콸 콸 콸
봇치, 속단하지 마!!

머리를 가볍게 적신 다음…
칙익 칙익
오일을 바르고 건조하면….
이런 느낌인데 어떨까요?
투, 투명감!
귀여워!
미소녀 인데?
배경에 에노시마가 보였어.
그런가요?!
여러분도 세팅해 봐요!
스윽
스윽

까약—♡
아련
두근
찰칵 찰칵
찰칵 찰칵
료 선배, 정말 잘 어울려요!
뭔가 열받아.
우쭐…
그림이 되네요!!
멋있어…
조금만 더 떨어져서 찍어.
이 정도면 될까요?
?
조금 더 한쪽에 쏠리도록.
한쪽에?
??

하긴 그런 게 있지~.

마음에 드신 것 같아서 기뻐요~!

나와 결속 밴드

잡지 콘셉트?!

이렇게 인터뷰가 실리는 느낌으로.

나도?

이지치 선배도 세팅해요!

치야 치야

빳──빳!!

저만 믿으세요!

언니가 아닌 사람이 머리를 만져주는 건 오랜만이야.

어라?
움찔
왜 그래?
아, 아니에요!!
어떡하지? 이 부분만 전혀 차분해지지 않는데?!
찰싹 찰싹 찰싹 찰싹 찰싹 찰싹
끙…
어? 잘 보니까 공중에 떠 있어…?
어라? 이거, 머리카락인가? 어라?
짜안~?
점장님이랑 비슷해졌어.
에헤헤
….

자, 마지막은…
봇치네!
!!
흐흐흐…!
아아아아뇨, 저기, 전….
반짝
반짝
멋져!
응. 분위기가 나오는데?
잘 어울려, 봇치!
와~!
아티스트란 느낌이야
라이브 때의 모습 같아…!
가, 감사 합니다.
화, 확실히 이건 괜찮을 지도…?
두근 두근
그리고 이 오일에서 미소녀의 냄새가 나….
쿵 쿵
재잘 재잘

다녀 왔습니다—….
싹-
후후.
다다
후 후 후….
…언니,
왜 그렇게 푹 젖었어?
이상해.
우와아아아아아아아악!
촤아아아아아
언니?!
없던 일이 되었습니다.
END

밖에서
놀다가
탕
문득
고개를
들자
어라?
만약
로리
언니들이 '친구'가 된다면
언니를
쏙 빼닮은
아이가
눈앞에
있었
습니다.
Presented by
SUNAO KASUGA

뭐해?
타악
앗.
히익.
아무것도 안 했어요!
벌떡
아무것도 안 했구나?
…….
이름이 뭐야?
히…
히토리란 이름인데….
우리 언니랑 똑같은 이름이네.

죄
죄송 합니다.
응?
왜 사과해?
앗, 그게… 이런 귀여운 아이의 언니와
같은 이름이란 게 송구스러워서 ….
엑?!
귀엽대!
고마워!
방긋

??????
순순히 받아들였어?!
?!
전혀 꼬아서 듣지 않고…!
갑자기 추욱 처졌네.
?
빛을 너무 쬔 것 같아서….
빛?
그늘로 갈래?
괜찮아요?!
앗.
저기 있는 거,
히토리의 친구 아냐?
척
키타

으윽
어떠려나 …?
갑자기 친한 척….
친구 맞지?
신경 쓰이면 후타리… 양은
저쪽으로 가도 돼요.
휘청
뭐어—?
왜 그렇게 불러? 기분 나빠—!
그냥 이름으로 불러도 돼.
그냥 이름으로?!
난이도가 높아
……
깜짝
야
우릴 봤네?
봇치 찾았다!!

봇치,
이런 곳에
있었구나~.
다들
얼마나
찾았다고.
다행이다
벌써
집에 간 줄
알았어.
옆에
있는 애는
누구야?
제 빛
입니다
….
쿠ー웅
후타리라고
해──.
봇치가
무슨 말을
하는 건지는
모르겠지만.
후타리
라고
하는
구나.
응
응
움찔
히토리를
찾아 줘서
고마워.

찾아 줬다고?
숨바꼭질이라도 했어?
좋겠다ㅡ
맞아!
숨바꼭질에서 혼자 멋대로 빠지다니 나빴어ㅡ.
봇치!
뿌우
아아…
앗, 아니….
죄송합니다.
최선을 다해 숨었다가 누구도 찾아주지 않아서
일생이 끝나버릴 정도라면
차라리 내 쪽에서 그만둘까 해서….

히토리는 이럴 땐 갑자기 대범하게 행동 한다니까?
음—
걱정하지 마.
봇치는 우리가 꼭 찾아줄게.
니지카….
그러니까 다음은 봇치가 숨래야.
네헤에.
야…
또 숨바꼭질 하려고요?!
으—…

다 놀려면
아직
멀었는걸.
후타리도
같이 놀래?
니지카
파앗!
파앗!
응.

슬슬 가 볼게.
잘 가—.
은둔형 외톨이 예비군인 난 이 운동이 힘들어….
같은 나이지 않아?
…….
나, 언니가 있다고 했잖아.

히토리랑 비슷하게
완전 귀찮은 소리만 해.
우웨에엑 ~~.
주륵―
죄송해요 ~….
슥
하지만
늘 같이 놀아주는
언니가 정말 좋아.
방긋

......!
햐
슬슬 가봐야 겠다!
벌떡
안녕. 잘 가— 히토리.
아
안녕….
나도 후타리가 정말 좋아.
■END

비가 그친 뒤에 보이는 무지개

presented by OMAMEDA

야—! 료!

앗…. 나중에 먹을까 해서….

먹지 마!!

그러다 진짜로 죽는다?!

냉장고에 잡초 넣어 두지 말라고 했지—!

심지어 썩었잖아!

잘 모르지만, 냉장고에 잡초를 넣어뒀다고….

료 선배, 또 혼나는 중이야?

또 특이한 이유구나….

으이그—! 넌 왜 늘 돈이 없는 거야!

좋은 아침 입니다—.

지금 절약 중이라….

후후후
하지만 두 사람이 같이 있으면
매일 떠들썩해서 좋지—.
정말이지, 료는—
내가 없으면 어떻게 살려고 저럴까?
하아
의지가 돼 주고 있는 건 너희 양쪽 다 아닌가?
난 똑 부러진걸!
자기 일은 스스로 해치우고
그래 그래
이래서 애들은….
불만 있어—?

1주일간은 연습으로 바빠지겠어—.
마음을 다잡고 노력해야….
어라? 료는?
앗, 저기, 일이 있어서 늦어진다고 했어요.
2023 5
월 화 수 목 금 토
1주일 뒤에 라이브라….
볼일이라니…. 어차피 늦잠이겠지.
라이브까지 시간이 얼마나 된다고…
슬슬 단단히 말해둬야 겠어….
앗, 료 선배. 좋은 아침이에요—.
움찔
이쿠요, 이거 부탁해
네
잠깐, 료!!
라이브까지 일주일밖에 안 남았잖아!
연습 시간은 한정돼 있으니까 지각하지 마!
아—… 미안….
그런 식으로 대충 사과하고 넘기면 된다고 생각하지?
그런 건 아니지만….

하여간 앞으로는 정신 똑바로 차리고…
앗, 봇치. 돈 줘─.
2000엔이면 될까요?
응
적당히 좀 해─!!
정신 차리라고 한 지 얼마나 됐다고….
너 또 봇치에게 돈 빌렸구나!!
아냐… 니지카…. 이건 아니…
변명은 필요 없어!
네가 정신 차리지 않으면 곤란해!!
나도 얼마나 힘든데!!

…알았어.
미안….
잠깐 나갔다 올게.
…….
너무 말이 심했나?
아냐, 하지만….
앗
니
앗…. 저기, 니지카….
응? 봇치, 왜?
다다다
다다닷
선배——!
조금 이르지만…
생일 축하드려요——!

어… 어라?! 료 선배는요??
어머?
두리번
두리번
이건….
1주일에 뒤에 있는 니지카의 생일이…
라이브 날이랑 겹쳐서 느긋하게 축하하지 못하니까, 일찍 축하해 주자고 료 선배가….
오늘 늦은 건 예약한 케이크를 받으러 가서였고…
아까 돈도 나눠서 낸 케이크 값이었어요….
미안. 잠깐 나갔다 올게!!
잠깐, 선배?!
언니 말이 맞아.

너무 가까워서 알아차리지 못했어.
내가 의지가 되어주는 것 이상으로
다 헤아리지 못할 만큼 료가 의지가 되어주고 있는데.
료!!
니지카….
미안!!
미안.
동시에 말했네….

아하하하.
어째서 전부 같은 말을 하는 거야?
내가 할 말이야….
하하….
…….
봇치에게 들었어….
오해하고 화내서 미안해….
아냐…. 나도 미안.
깜짝 파티를 할 거면 더 잘해야 했는데.
평소의 행실이 안 좋은 탓에 오해하게 만든 면도 있고.
그건 조금 맞아.
납득할 수 없어…
다들 기다리니까 돌아갈까?
응.
결속 밴드에서 가장 오래 알고 지냈으며
가장 키 차이가 크고
니지카,
후미소바

가장 많이 싸우고
생일 축하해.
가장 많이 화해하는,
고마워.
그것이 우리다.

BOCCHI THE ROCK!
ANTHOLOGY COMIC

BOCCHI THE ROCK! COMMENT LETTER

BTRCL

아루키마치

앤솔러지2권 축하합니다!!

관련 정보가 눈에 들어오지 않는 날이 없을 만큼 많은 사람에게 사랑받고 있는 봇치에 함께 할 수 있어 정말 영광입니다! 애니메이션도 만화도 곡도 최고…!

결속 밴드도 정말 좋아하지만, 그 네 사람을 귀여워하며 지켜봐 주는 어른들도 정말 좋아해요! (못난 인간 같은 면이 좋음)

우연히 들른 STARRY에서 PA 씨에게 첫눈에 반해버리지만, 평생 엮일 일 없는 모브가 되고 싶었어….

맞장 어른 삼총사 좋아…

아으의

하마지 선생님이 그리는 봇치의 세계와 애니메이션, 양쪽에서 귀여움과 멋있음이 몇 배나 플러스 되며 나날이 진화해가는 최애 봇치를 많이 볼 수 있어서 행복합니다. ♡

앞으로도 봇치와 친구들의 **더 큰 활약을** 기대하겠습니다—!!

봇치 캐릭터를 제멋대로 그려서…

죄송 합니다…

이시이 유카

이시이 유카

봇치·더·록!

BTRCL 03
BOCCHI THE ROCK! COMMENT LETTER
우루시노

BTRCL 04
BOCCHI THE ROCK! COMMENT LETTER
O카나다모

BTRCL 05 BOCCHI THE ROCK! COMMENT LETTER 오쿠마 라스코

파이팅! 모두의 기타 히어로!!
사람은 누구든 마음속에 봇치 같은 자신을 기르고 있다…!
멋진 앤솔러지에 불러 주셔서 감사합니다!!
점점 힘차게 날갯짓하는 결속 밴드를 앞으로도 응원하겠습니다!!♪
오쿠마 라스코
大熊らすこ

BTRCL 06 BOCCHI THE ROCK! COMMENT LETTER 오오마메다

봇치·더·록
앤솔러지 2권 발매 축하합니다~! 앞으로 더욱 큰 작품이 되길☆
야마다를 그리는 게 즐거웠어요.
ソイボーイ 大豆田
소이보이 오오마메다

앤솔러지 2권 발매를 축하합니다!!

정말 좋아하는 봇치 앤솔러지에
불러 주셔서 영광이었어요…!

봇치의 언동으로
자신의 흑역사가 되살아나
마음이 어지러워진 사람은
저 하나가 아닐 터….

카

4인방+후타리를
많이 그릴 수 있어서
즐거웠습니다♪
특히 봇치의 표정이
신선했습니다…!

春日沙生
카스가 스나오

앤솔러지 2권
발매를 축하합니다～

학생 요요코가 좋아

코믹스 4권 27페이지

우오오오오오 오오츠키 요요코

앤솔러지 2권 축! 감사합니다.

스이소겐시

붓치·더·록 앤솔러지 2권 발매 축하 합니다!!

어른들… 정말 좋아해요….

커버
안쪽에서
실례했습니다!

이건 너무했나?
싶었던 부분까지
문제없이 통과돼
록이구나!
싶었습니다.

츠미키츠키

봇치·더·록!

6권과 앤솔러지 2권 발매
축하드려요!!
쭈——욱 최애였던
야마다를 그릴 수 있어
기뻤습니다.

두 권 다
살 거니까
돈 빌려줘.

토다.히로키

BTRCL 13
BOCCHI THE ROCK! COMMENT LETTER
나카모리 케무리

봇치・더・록!
앤솔러지 2권 발매를
축하합니다!
정말 좋아하는 작품에 이런 형태로
참가하게 되어 정말 영광이에요.
이번에는 노력가에 항상 활발한 니지카를
CHILL한 분위기로 그려보았습니다.
웃음과 감동과 용기와 힐링을 주셔서
고맙습니다! 감사!
나카모리 케무리
NIJIKA
BOCCHI THE ROCK

BTRCL 14
BOCCHI THE ROCK! COMMENT LETTER
나가야마 유우논

감사합니다!
제가 정말 좋아하는
학교 수영복 차림을 한 봇치가
욕실에 들어가는 세계선이
있다는 말에 룰루랄라 그렸습니다!
열심히 노력하는데도
핀트가 어긋나서
불쌍하고 귀여운 봇치,
응원합니다!!
나가야마 유우논
my new gear...

BTRCL 15

BOCCHI THE ROCK!
COMMENT LETTER

후지 후지노

역시
교자에는
생맥주지~
공식 앤솔러지 2권을
축하합니다!!
애니메이션을 보고 푹 빠져서
'봇치를 좋아한다!'고 담당 편집자께
말씀드렸더니, 일거리를 주셨어요.
그리면서 즐거웠습니다!!
富士フジノ
Fujino
후지 후지노

BTRCL 16

BOCCHI THE ROCK!
COMMENT LETTER

후타바 하루

후기
본편에선
그리지 못한
기타와 봇치.
봇치 더 록!
앤솔러지에 불러주셔서
감사합니다 ^^!
봇치와 친구들의
걸스 토크를 망상하며
만화를 그리는
작업이 즐거웠어요.
봇치, 앞으로도
응원하겠습니다.
후타바
후타바 하루

보치·더·록!

앤솔러지 2권 발매를
축하합니다!!

진짜 재밌어…! 진짜 귀여워!!
앞으로의 전개도 기대하고 있어요!!
일러스트를 그리게 해주셔서
감사합니다!

마키

야마다….
제일 좋아해….
종잡을 수 없는 아이인가 했더니,
음악 이야기가 나오면 '뜨거운 열변을 토하는
대장부'다운 면이…
'텅텅 빈것'도 최고….

불러주셔서
감사합니다!!
정말 좋아하는 후타리와
지미헨을 그릴 수 있어
행복했어요.
고토 일가가 행복하기를!

메바치

지미헨은
배를
만지게
해줄 것
같음

야마 료와 씨이가 피를 좋아해요!!

두 푸짓의 나렷 만화를 그렸습니다!

⑨봇치·더·록! 앤솔려지 발매!!

아사시이 나이조

BOCCHI THE ROCK! COMMENT LETTER BTRCL

ROCCHI THE ROCK!

ANTHOLOGY COMIC

DAEWON SPECIAL COMICS

봇치·더·록! 앤솔러지 코믹 2

2024년 7월 23일 초판 인쇄　2024년 7월 31일 초판 발행

저 자 ········· ANTHOLOGY

옮긴이 : 유유리　**발행인** : 황민호
콘텐츠1사업본부장 : 이봉석
책임편집 : 조동빈 / 장숙희 / 윤찬영 / 전송이 / 옥지원 / 이채은 / 정은경
발행처 : 대원씨아이(주)
서울특별시 용산구 한강대로 15길 9-12 전화 : 2071-2000 FAX : 797-1023
1992년 5월 11일 등록 제1992-000026호

ISBN 979-11-7245-608-5 07830
ISBN 979-11-7203-994-3 (세트)